عليك اللّهفة

أحلام مستغانمي

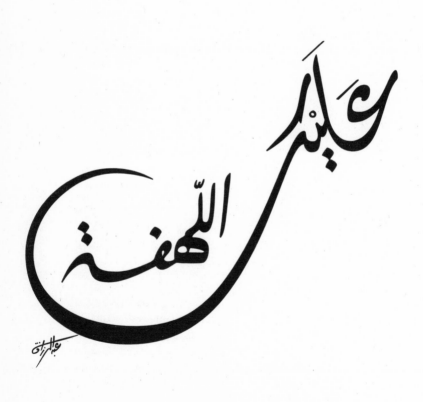

عليكَ اللّهفة

نوفل

صدر عام 2015 عن **نوفل**، دمغة الناشر هاشيت أنطوان
الطبعة الثالثة، 2015

© هاشيت أنطوان ش.م.ل.، 2015

سنّ الفيل، حرج تابت، بناية فورِست
ص. ب. 0656-11، رياض الصلح، 2050 1107 بيروت، لبنان
info@hachette-antoine.com
www.hachette-antoine.com
www.facebook.com/hachette-antoine
twitter.com/NaufalBooks

تصميم الغلاف: **معجون**
صورة الغلاف: **Rauf Janibekov**
خطّ الغلاف: **عبد الرزاق حمودة**
تصميم الداخل: **ماري تريز مرعب**
متابعة النشر: **رنا حايك**
طباعة: **53Dots**

ر.د.م.ك.: **978-614-438-162-5**

إهداء

إلى سادة اللّهفة..

المنحدرين من زمنٍ ما حمل رجاله يوماً
ساعاتٍ في معاصمِهم

مثلهم لا يُباهي بألماس الوقت.. بل بجمره.

أحتاج أن أحبّك ككاتبة

أحياناً..

أحتاجُ أن أخسرَك

كي أكسبَ أدبي

أن تغادرَ قليلاً مفكّرتي

كي تقيمَ في كُتبي

أن أتخلّى عن وسامتِكْ

وسامتِكَ الخرافيّةِ تلكْ

من أجلِ خرافةٍ أكتبُها عنكْ

أحياناً..

أحتاجُ أن أكتُبَكْ

أكثرَ من حاجتي لحبّكْ

أن أصِفَكْ

أكثرَ من حاجتي لرؤيتكْ

أن أبكيكَ.. أن أفتقدَكْ

أن أشتَهِيَكَ.. أنْ أَستَحضِرَكْ

أن أسألَ عنكَ الأمكِنة

أكثرَ من حاجتي لزيارتِها معكْ

أن أحزنَ

وأنا أرى الوقتَ يمضي من دونِك

أكثرَ من حاجتي

لفرح الاستعدادِ لكْ

أحياناً..

أُحبّ ألّا تشغَل هاتفي

كي يزدادَ انشغاليَ بكْ

أن يهزمني جَبَروتُ الحنينِ إليك

فأُهاتفَكَ

غيرَ واثقةٍ بأنّكَ ستَرُدّ

وإذا بكَ تردّ..

فأُخفي عنكَ شهقةَ قلبي

حين صوتُكَ يشهَقُ بي

استغرَقَني حُبُّكْ

أنساني أن أكتُبَكْ

وأنا أُريدُكَ مُلهِمي ومُلتهِمي

رجُلي حيناً.. وحيناً قَلَمي

فارقْني قليلاً

أحتاجُ أن أحبَّك.. ككاتبة

كتبتَني

كتبتَني

باليدِ التي أزهرَتْ في ربيعِك

بالقُبُلاتِ التي كنتَ صيْفَها

بالورقِ اليابسِ الذي بعْثَرَهُ خريفُك

بالثلجِ الذي

صوبَكَ سِرتُ على نارِهِ حافية

بالأثوابِ التي تنتظِرُ مواعيدَها

بالمواعيدِ التي تنتظِرُ عُشّاقَها

بالعُشّاقِ الذينَ أضاعُوا حقائبَ الصبر

بالطائراتِ التي لا توقيتَ لإقلاعِها

بالمطاراتِ التي كنتَ أبجديّةَ بوّاباتِها
بالبوّاباتِ التي تُفضي جميعُها إليك

بوحشةِ الأعيادِ كتبتَني
بشرائطِ الهدايا
بشوقِ الأرصفةِ لِخُطانا
بلهفةِ تذاكرِ السفر
بثقلِ حقائبِ الأمل
بمباهجِ صَباحاتِ الفنادِق
بحميميّةِ عشاءٍ في بيتنا
بلهفةِ مفتاحٍ
بتواطؤِ أريكةٍ
بطُمأنينةِ ليلٍ يحرُسُ غفوةَ قَدَرِنا
بشهقةِ بابٍ ينغلقُ على فرحتِنا

كتبتَني.. بمِقصَلةِ صمتِك

بالدُّموعِ المُنهمِرةِ على قِرميدِ بيتِك

بأزهارِ الانتظارِ التي ذَوَتْ في بستانِ صبري

بمِعوَلِ شكوكِك..

بمِنجَلِ غَيرتِك

بالسنابِلِ التي..

تناثرتْ حبّاتُها في زوابعِ خلافاتِنا

بأوراقِ الوردِ التي تطايرَتْ من مزهريّاتِنا

بشراسةِ القُبَلِ التي تفُضُّ اشتباكاتِنا

بِما أخذْتَ.. بِما لم تأخُذ

بِما تركْتَ.. بما لم تترُك

بِما وهبْتَ.. بما نهبتَ

بِما نسيتَ.. بِما لم أنسَ

بِما نسيتُ..

بِما ما زالَ في نسياني يُذكِّرُني بكَ

بِما أعطيتُكَ ولم تأبَهْ

بِما أعطيتَني فقتلتَني

بِما شئتَ بهِ قتلي

فمتَّ به

أغار..

قال:

أغارُ

مِن العيدِ لأنّكِ تنتظرينَه

مِن ثيابِ أفراحِك

مِن اشتهائِكِ لها

مِن ارتدائِكِ ما سيراكِ فيهِ غيري

مِنْ غيري

لأنّه لا يدري كم أغار

حين غيري يراكِ

أغارُ

مِن بهجةٍ في نهايةِ السنةِ تُزيّنُ بابَكِ

مِن بابِكِ

لأنّه يحرُسُ سرِّكِ

مِن مفاتيحِ بيتِكِ

لأنّي قُفلُكِ ومِفتاحُكِ

أغارُ

مِن الشجرةِ المقابلةِ لبيتِكِ

لا أحدَ يسألُها

مَن منَحَها حظَّ جيرتِكِ

وحقَّ العيشِ بمحاذاتِك

مِن جرَسِ بابِك

لأنّه يُنبِّهُكِ أنّ أحدَهُم أتى

ولأنّ الذي يأتي

لن يكونَ يوماً أنا

قالت:

أغارُ

مِن حبلِ غسيلٍ ينفردُ بقميصِك،

من الشمسِ التي تتجسَّسُ عليه

فتكشِفُ سرَّكَ

مِن ملاقطِ الغسيلِ

التي تُطبِقُ على ثيابِكَ ذراعَيها

مِن الريحِ التي تَهُزُّها

فينتفِضُ قلبي في بلادٍ أُخرى

خوفاً عليك

في نومي

أغارُ مِن نومِك

أستيقظُ لأتفقّدَ أحلامَك

أُحدّقُ بكَ طويل

كلّما خَلَدتَ للنومِ

باشَرَ قلبي نوبةَ حراستِك

خَشيةَ أن تُغرِيَ الموتَ بوسامتِك

فيُطيلَ نومَك

ستائر من دانتيل

الذكرى

في جيبي

مفاتيحُ بيوتٍ لن نسكُنَها معاً

تذاكرُ سفرٍ

لمُدنٍ لن تزورَها معي

عناوينُ فنادقَ جميلةٍ

لعشّاقٍ لن يأتوا

تواريخُ أعيادٍ

لا كِبريتَ لشموعِها

أمامَ شرفتي

مقعدٌ على شاطئٍ لن نرى بحرَهُ معاً

طريقٌ.. لن تُقبِّل حصاه خطانا

أشجارٌ ستعلو في غَيْبتك

ورودٌ ستتفتّحُ وتذبُل

دونَ أن تدري بذلك

في حقيبةِ يدي

أوراقٌ ثُبوتيّة

تدَّعي انتسابي لغيرِك

وحاملةُ مفاتيحَ

تفضَحُ تشرُّدي الفاخرَ بعدَك

ومُفكِّرةٌ

لأيامٍ بيضاءَ كنتَ انتظارَها

في حَوزتي

محفظةُ نقودٍ جلديّة

أثمنُ ما فيها شيءٌ منك

أخفيتُهُ في جيوبها السرّيّة

منك تعلّمتُ تهريبَ مكاسبي العاطفيّة

في خزانتي

فساتينُ تنتظرُ مواعيدَك

معاطفُ لن تقيَني منَ المطر

أحذيةٌ للضجر

لا وُجهةَ لخطاها

شالاتٌ.. كنزاتٌ

تَزيدُني برداً ذكراها

بعدَك لا منطقَ لنشرتي العاطفيّة

في غرفتي..

شرفةٌ لا تطلُّ على سواك

ستائرُ من دانتيل الذكرى

لا تحجُبُ عنّي رؤيتَك

مِذياعٌ

لا يبُثّ سوى أغانٍ تتحدَّثُ عنك

على طاولتي

هاتفٌ يرتدي حِدادَك

رسائلُ كثيرةٌ لقرّاء

يزدحمُ القلبُ بأشواقِهِم

أُخالِسُهُم.. كي أختليَ بغيابِك

كي لا تحتاجَ
إلى امرأةٍ سواي

في سالفِ الأزمان

أخلفْتُ عدّةَ أعمارٍ

من أجلِ عمرٍ

أعيشُه في ليلةٍ واحدة

يومَ ألقاك

لكأنّك كنتَ هناك

في ما أعطيتُهُ لسِواك

في ما احتفظتُ به إلى يومٍ تأتي

في ما قلتُهُ لغيرِك وكنتُ أعنيك

في ما لم أقلْهُ لأحدٍ
لأنّك.. صمتي

في لهفتي عليك
من قبلِ أن أراك
في غَيرةِ مَن عرفتَهُنّ قبلي
لأنّك ما أخلصْتَ سوى لانتظاري

في قراري
أتقمّصُ كلَّ النساء
كي تُحبَّني في كلِّ امرأة
ولا يكونَ لي اسمٌ

في اسمي المحكومِ بالحلمِ المؤبَّد
كما أرادَه أبي

في مُفرَدي وجمْعي

في قدَرِ تبدُّدي

أثناءَ بحثي عن آباءٍ لكتبي

في وِشايةِ ما كتبتُ

في تُهمةِ أحذيتي

في شُبهةِ خطاي

بحثاً عن عنوانِك

في قلبِك

الذي بلغتُهُ مصادفة

وأقمتُ فيه تحتَ أسماءٍ مستعارة

منتحِلةً كلَّ يومٍ صفة

كي لا تحتاجَ إلى امرأةٍ سواي

غيابُك المتساقط
ثلجاً عند بابي

الحزنُ ينتعِلُ خُفَّه الشتويّ

وينتظرُ صوتَك

كم أخافُ أن يحضُرَ الثلجُ وتتأخّر

الوقتُ الآخذُ في المطر

الفرحُ الآخذُ في الضجر

وأنت

هناكَ حيثُ أنت

أيتساقطُ غيابي ثلجاً عند بابك؟

كم الساعةُ الآن؟

أعني.. كم الساعةُ الآنَ عندَك

هنالكَ حيثُ تتآمرُ علينا

خطوطُ الطولِ.. وخطوطُ العرض

وكلُّ شيءٍ يباعدُ بيننا

كيف لنهاري أن يُلامِسَ ليلَك

وأيُّ تقويمٍ عشقيّ

يمكنُهُ جمعُ لهفتِنا

ليلةَ رأسِ السنة

إنّها ليلةُ القرن

أعني ليلةَ الألفيّة

وأنا أستعيدُكَ بحواسِّ الغياب

يتدحرَجُ الصبرُ ككرةٍ ثلجيّة

نحوَ الانحداراتِ الشاهقةِ للحُزن
كم تعثّرْنا بجداوِلِ الحساب
كلّما تهاتَفَ قلبانا
على أطرافِ الكرةِ الأرضيّة

إنّه منتصفُ الليلِ بعدَ القرن
أساهرُ شوقاً يحتمي بالصمت
مشغولةً عن أفراحِ نهايةِ السنة
بمساءِ الولَعِ الأوّل
إنّه منتصفُ الوجعِ بعدَ العيد
ثلجُ غيابِكَ المتساقطِ عليّ
وأنا أنتظرُكَ على ناصيةِ العام
أتخطّى الزمنَ إليك
غيرَ معنيّةٍ بعدّادِ الأعوام

أحاذرُ الوقوعَ في شرَكِ الأرقام

أخافُ ألّا تتعرّفَ إليّ

لحظةَ تلُفُّني عباءةُ الأيام

فتتركَني أرتجفُ كشجرةِ عيد

في ثوبِ عُرْسيَ الثلجيّ

إنّه منتصفُ اللهفةِ بعدَ الألفين

كلُّ هذا الحزنِ الباذخِ

ضجيجاً وإنارةً

ولا ضوءَ يقودُني صوبَك

فأعبرُ غاباتِ صمتِك

دونَ القدرةِ على بلوغِ لقاء

متمسّكةً بتلابيبِ عطرِك

يُغريني الصقيعُ

بالتشرّدِ في جغرافيّةِ صدرِك

فهل تقبَلُ طلبَ لجوئي إليك

في ليلةٍ ثلجيّةٍ.. عابرةٍ لقرنَيْن؟

العام 2000

يا لَجمالِ عامٍ لا مكانَ فيه

إلّا لاثنيْن

وما سواهُما أصفار

دع غَيرتَك قليلاً وتعالَ

أحبَّني ولو لعام

ريثَما يتغيّرُ عدّادُ الأرقام

ويأتي ذلك «الواحدُ»

يتسلّلُ بينَ العاشقَيْن

يُباعدُ بينَهما.. كالمعتاد!

في عِصمةِ قبلةٍ
لم تحدُث

بي حنينٌ إلى الساعةِ الواحدة

ذاتَ الخامسِ من أكتوبر

قبلَ شتاءَينِ وقبلةٍ من الآن

بي شوقٌ أن أصفَها

قبلتَنا التي لم تحدث

وسأظلُّ أكتبُها

كي أبلغَ شفتَيْك

من قَبلِ أن تقبّلاني

كي أطالَ رجفةَ صمتِك

من قبلِ أن تقول:

«هلا..

ما رأيتُ قبْلَكِ امرأة»

وتُضرِمَني عيناكَ قُبَلا

سيّدي..

قبلتُكَ تلك التي لم تكن

ما تَركَتْ لي يداً لكتابتِها

لكأنّها بدأتْ بلثمِ أصابعي

ثمّ التهمَتْني.. حتّى أخمصِ قدميّ

وهي على رُكبتَيْها تطلُبُ يدي

كأنّه كان يَحوكُ ضدّي مؤامرة

عشقُكَ المفترِسُ النوايا

نظراتُكَ الواعدةُ بموتٍ عشقيّ

لا رحمةَ فيه

هيبتُكَ القاتلة

هدوؤك الكاذب

وارتجافُ صوتي

يومَ وقعتْ عيناك عليَّ أوّلَ مرّة

في غفوتِه

في ذِروةِ عُزلتِه

يواصلُ قلبي إبطالَ مفعولِ قُبلةٍ

فتيلُها أنت

كيفَ لقبلةٍ أن توقفَ الزمن؟

كيفَ لشفتَيْنِ أن تُلقِيا القبضَ على جسد؟

أبداً لن تنساني

قالت:

لَك وحدَك

كانت كلماتي تخلعُ خِمارَها

والقلبُ تحتَ خيمتِك

يجلسُ أرضاً ضيفَ حبٍّ

تُطعِمُهُ بيدِكَ

كم احتفاءً بي

نحرْتَ من غنيمةٍ

ثمّ ذاتَ غَيْرةٍ

بيدِكَ تلك جَوْراً نحرْتَني

أبداً لن تنساني

أبداً لن تنسى

أبدٌ منَ الندمِ ينتظرُك

من أضاعَني قضى وحيداً كحصان

لا مَرْبطَ بعدي لقلبِه

قال:

بكِ رأيتُ

ومن دوني لا تُرَيْن

إنّي أحبّكِ

حتّى لا تَريْني في أحد

إنّي أحبّكِ

حتّى لا يراكِ أحد

أنا من ملأتُ بعيونِ النساءِ جيوبي

و لا رأيتُ قبلكِ امرأة

قالت:

الحبّ

ليس ألّا ترى عيناك أحداً سواي

بل أن أكونَ بينكَ

وبينَ مَن ترى

أشياء.. وأخرى

أشياءُ جميلة
ستقومُ بها لأوّلِ مرّة
ولن يدريَ أحدٌ ما وهبتَه
ولا خجلُ ارتباكِكَ الأوّل
أشياءُ ستحتفِظُ بأسرارها
تُشكّكُ الآخرينَ في براءتِك
لِفَرْطِ خُبثِها
وقلّةِ حيلتِك

أشياءُ صغيرة
ستفعلُها لآخرِ مرّة
ولن تدريَ أنّها الأخيرة

إلّا عندما

تتأخّرُ المعجزةُ كثيراً

حدَّ فقدانِ الأشياءِ صبرَها

ويأسِ انتظارِك

لمن كانَ كلَّ شيءٍ في حياتِك

أشياءُ ستصلُ في غيرِ وقتِها

وأخرى كأنّها لم تأتِ

وثالثةٌ تجيءُ على عَجَلٍ

لتمضيَ

من قبلِ أن تدركَ أنّ للأشياءِ أجلاً

أشياءُ تُذكّرُك

بأشياءَ كثيرةٍ لن تحدُث

لو حدثت

كم منَ الأشياءِ كانت ستتغيَّر
وذاكَ الرجلُ ربّما كانَ سيحْضُر
ليرَى حزنَ الأشياءِ حينَ يرْحَل

أشياءُ تفكّرُ فيها دونَ توقّف
دونَ أن تعرِفَ
أنّها تُشيّئُك
فتصبحُ عبدَها.. وتغدو سيّدتَك

أشياءُ تَبكي أصحابَها
وأخرى تَسْخَرُ
من عشّاقٍ يكونَ شيئاً
ما وُجدَ يوماً سوى في مخيِّلتِهِم

أشياءُ تعدُك بأشياءَ جميلةٍ
وأخرى تتوعّدُك
أشياءُ تَكذِب
أشياءُ تَنتحِب
أشياءُ تحتالُ عليك
وأخرى لم تصدّقْها..
إلّا بعدَما انتهى كلُّ شيء

أشياءُ تأبى أن تموت
وأخرى برغمِ كونِها ميْتةً تقتُلُك
وأخرى ماتت لكنّ جثّتَها ما زالت تسكنُك
أشياءُ لفرْطِ ما صُنْتَها ستغدُرُ بك
لأنّك لم تتخلَّ عنها
هي التي ستترُكُك

أشياءُ تطاردُها

وأخرى تُمسِكُ بأطرافِ ذاكرتِك

أشياءُ تُلقي عليكَ السلام

وأخرى تُديرُ لك ظهْرَها

أشياءُ تَوَدُّ لو قتلْتَها

لكنّك كلّما صادفْتَها

أرْدَتْكَ قتيلاً!

أوصِد القلبَ خلفَك

يا اشتياقي إليك

حينَ في الغيابِ تَمُرّ

تهوي بخطاكَ حصى الندَم

حتّى منحَدراتِ الحسرة

يوقظُني الألم

يعبُرُني الشوقُ إليك

مثلَ قطارٍ ليليّ

فترتعدُ نوافذُ الذكرى

وزجاجُ الحبِّ المهشّم

عندَ أقدامِ صمتِكَ يتلعْثَم

لا تُلملِمْني

أخافُ على ربيعِ يديْكَ من شظايا دمي

يا لطلّتِك

عندَما تمرُّ دونَ أن ترفعَ النظر

كي لا تخدِشَ حياءَ الشرُفاتِ

المغلَقةِ على قيلولةِ نسائِها

دونَ أن تلتفِتَ

تدري وأنتَ تعبُرُ

تحتَ أنوثةِ الأمنيات

أنّ تنهيداتٍ تسترِقُ إليكَ النظر

يا لضحكتِك

عندما تنسابُ شلّالَ زهورٍ

على الشرُفاتِ الليليّة

لا تأبَهْ لصمتٍ كأنّهُ اعتذار

يحدُثُ للجمال

أن يكونَ انخطافاً فوقَ الاحتمال

يا لهيبتِك

عندما تجلِسُ بمحاذاةِ رغبتِك

على مرمى لهفةٍ منّي.. ولا تُقْدِم

على مرمى قبلةٍ منّي.. ولا تفعل

دعِ الأمنياتِ تستوي على نارٍ خافتة

وارحلْ

ثمّ عدْ.. بذلكَ القليلِ أنا أسعد

أو أوصِد القلبَ خلفَك

فحيثُ تمُرُّ

تنخلعُ أبوابُ النساءِ بعدَك

يا لظلمِك

عندما تُضمِرُ لي حبّاً كأنّهُ عَداء

ترفعُ مِن حولي أسوارَ الشكّ

وتطالبُني بفواتيرِ الوفاء

وحدي أرى دموعَ الأشياء
التي تسألُني عنك
وذلك الحبَّ المَطوِيَّ في خزائنِ الشتاء
معلّقاً على مِشجَبِ انتظارِك

كأنّ مهري صلاتُك

ما طلبتُ من اللّهِ
في ليلةِ القدْر
سوى أن تكونَ قَدَري وستري
سقفي وجُدرانَ عُمري
وحلالي ساعةَ الحشرِ

يا وسيمَ التُّقى
أتَّقي بالصلاةِ حُسنَكْ
بالدعاءِ ألتمِسُ قُربَكْ
أُلامسُ بالسجودِ سجّاداً
عليهِ طالَ ركوعُك
عساني أُوافقُ وجهَك

مباركةٌ خُطاك

بكَ تتباهى المساجدُ

وبقامتِك تستوي الصفوف

هناكَ في غُربةِ الإيمان

حيثُ على حذَرٍ

يُرفعُ الأذان

ما أسعدَني بك

مُتربِّعاً على عرشِ البهاء

مُترفِّعاً.. مُتمنِّعاً عَصِيَّ الانحناء

مُقْبِلاً على الحبّ كناسكٍ

كأنّ مهري صلاتُك

يا لكَثرتِكْ

كازدحامِ المؤمنِ بالذكرِ

في شهرِ الصيام

مزدحمٌ قلبي بكْ

كيف لي أن أرفعَها

صلاتَك

أن أسبّحَ بيدِك

وأبتهِلَ بصوتِك

أن أكونَ في كلّ التراويحِ روحَكْ

كي في قيامِك وسجودِك

تدعُوَ ألّا أكونَ لغيرك

عليكَ اللهفة!

في قصيدةِ الحبِّ الأولى التي
قرأها لي «نزار»

في أوّلِ قبلةٍ أربكَتْني في فيلم «رُدَّ قلبي»

في البيانو الذي كان يعزفُ لعبد الحليم
لحناً لم يفارِقْني

«أهواك... واتمنّى لو أنساك»

حتّى من قبلِ أن أراك

في كلِّ قصّةِ حبّ

كنتُ أقولُ لك «أحبُّك»

في الرجولةِ الفاتنةِ لكاري غرانت

في العنفوانِ المعتّق

لأنطوني كوين في دورِ «زوربا»

في أسى هند أبي اللمع في مسلسل
«عازف الليل»

في شجَنِ أسمهان

في دموعِ إديث بياف وهي تبكي مارسيل

ما بكَتْ امرأةٌ من حبِّ رجل

إلّا كنتَ من أبكاها

في ضحكي من أدوارِ إسماعيل ياسين

في دموعِ صباي يومَ هزيمةِ 67

في مباهجي وألمي

وكلِّ ما حلَّ بي

في كلِّ ذاكرتي العاطفيّة

في كلِّ الطبقاتِ الجيولوجيّةِ لقلبي

في ساعةِ نبْضي... وساعةِ مِعْصَمي

مذ ساعتي الأولى وحتّى قيامِ الساعة

ما من ساعةٍ امتلكتُها

إلّا كنتَ عقاربَها

في أوّلِ حافلةٍ أخذتْني

إلى ثانويّةِ «عائشة أمّ المؤمنين»

في أوّلِ طائرةٍ ركبتُها سنةَ 73

إلى «مهرجان الشباب العالميّ في برلين»

في الحقيبةِ الأولى لغربتي

في مطارِ أورلي الدوليّ سنةَ 76

في أوّلِ ميترو أخذني للسوربون

في الباصِ الرقم 42 في باريس الدائرة الـ15

حيث أقمتُ لسنين

على مدى رحلتي

كنتَ سائقَ الباص وقائدَ الطائرة

كنتَ الغريبَ

الجالسَ على المقعدِ المجاورِ للحبّ

وكنتَ وُجْهتي

عليكَ اللّهفةُ يا رجُل

كم انتَظَرَتْك أنوثتي!

كنتُ سأنجبُ منك قبيلة

سيّدي
كلُّ ما فيكَ سيّدي
لكنْ... خذلَتْني أنوثتي

هذهِ الرجولة
كيفَ لي وأنا امرأةٌ واحدةٌ أن أطوِّقَها
وكيفَ لقبيلةٍ من الرجال
أن تنتسبَ جميعُها إليّ؟

يا ولدي.. ووالدي.. وأبا أولادي
يا كبِدي وكيدي ومكابدتي
يا سندي وسندياني وسيّدي
ما كان لي قبلَكَ من أحد

عذراءُ كلُّ امرأةٍ لم تعرفْكَ
عزباءُ مَن لن تعقدَ قِرانَك عليها
عاقرٌ كلُّ أمٍّ لم تنجبْكَ
يتيمةٌ من لن تكون أباها
ثكلى الحياةُ من قبلِ أن تأتيَها
أرملةٌ يومَ ترحلُ عنها

أنجِبْني...
كي تُنادَى بينَ الرجالِ باسمي
كي أحمِلَ جيناتِكَ في دمي

واسمَكَ على جوازِ سفري
وأنتسبَ إلى مَسقِطِ قلبِك

قلْ «يا بُنيَّتي»
كي تكونَ لي قرابةٌ بقدمَيْك
عندما تقِفانِ طويلاً للصلاة
فأُدلّلهما مساءً بشفتَيّ
كما كنتُ بالقُبلِ أغسِلُ قدمَيْ أبي

يا زَهْوَ عمري.. كُن ابني
كي أُباهيَ بك
وأختبرَ الأنوثةَ بوسامتِك
عساها تطاردُك رائحتي
ويحتجزُكَ حضني

وتخذلُكَ النساءُ جميعُهُنّ

فتعودَ مُنكسراً إليّ

كنْ لي..

سأُنجبُ من قُبَلِك

قبائلَ من الرجال

لا تقلْ:

«كنتُ سأنجِبُ منكِ قبيلة»

ما دُمْنا مذ التقيْنا

أُنجِبُكَ.. وتُنجِبُني

مواسمُ لا علاقةَ لها بالفصول

هنالكَ مواسمُ للبكاءِ الذي لا دموعَ له
هنالكَ مواسمُ للكلامِ الذي لا صوتَ له
هنالكَ مواسمُ للحزنِ الذي لا سببَ له
هنالكَ مواسمُ للمفكِّراتِ الفارغة
والأيامِ المتشابهةِ البيضاء
هنالكَ أسابيعُ للترقُّب وليالٍ للأرق
وساعاتٌ طويلةٌ للضجَر

هنالكَ مواسمُ للحماقات.. وأُخرى للندم
ومواسمُ للعشق.. وأُخرى للألم
هنالكَ مواسمُ.. لا عَلاقةَ لها بالفصول

هنالكَ مواسمُ للرسائلِ التي لن تُكتب

للهاتفِ الذي لن يَرِنّ

للاعترافاتِ التي لن تُقال

للعمرِ الذي لا بدَّ أن نُنفِقَه في لحظةِ رِهان

هنالكَ رهانٌ نخسَرُ فيهِ قلبَنا على طاولةِ قِمار

هنالكَ لاعبون رائعون يمارسونَ
الخسارةَ بتفوّق

هنالكَ بداياتُ سنةٍ أشبهُ بالنهايات

هنالكَ نهاياتُ أسبوعٍ أطولُ من كلّ الأسابيع

هنالكَ صَباحاتٌ رماديّةٌ لأيامٍ لا علاقةَ
لها بالخريف

هنالكَ عواصفُ عِشقيّةٌ لا تترُكُ لنا من جدار

وذاكرةٌ مفروشةٌ لا تصلُحُ للإيجار

هنالكَ قطاراتٌ ستسافرُ من دونِنا

وطائراتٌ لن تأخذَنا أبعدَ من أنفسِنا

هنالك في أعماقِنا رُكنٌ لا يتوقّفُ فيهِ المطر

هنالكَ أمطارٌ لا تَسقي سوى الورق

هنالكَ قصائدُ لن يوقّعَها شعراء

هنالكَ ملهمونَ يوقّعونَ حياةَ شاعر

هنالكَ كتاباتٌ أروعُ من كتّابها

هنالكَ قصصُ حبٍّ أجملُ من أصحابها

هنالكَ عشّاقٌ أخطأوا طريقَهم للحبّ

هنالكَ حُبٌّ أخطأ في اختيارِ عشّاقِه

هنالكَ زمنٌ لم يُخلَق للعشق

هنالكَ عشّاقٌ لم يُخلَقوا لهذا الزمن

هنالكَ حُبٌّ خُلق للبقاء

هنالكَ حُـبٌّ لا يُبقِي على شيء

هنالك حُـبٌّ في شراسةِ الكراهية

هنالكَ كراهيةٌ لا يُضاهيها حُبّ

هنالك نسيانٌ أكثرُ حضوراً من الذاكرة

هنالكَ كذبٌ أصدَقُ من الصدق

هنالكَ أنا.. وهنالكَ أنت

هنالك مواعيدُ وهميّة

أكثرُ مُتعةً من كلّ المواعيد

هنالكَ مشاريعُ حُـبٍّ أجملُ من قصّةِ حُـبّ

هنالك فِراقٌ أشهى من أيِّ لقاء

هنالكَ خلافاتٌ أجملُ من كُـلّ صُلح

هنالكَ لحظاتٌ تمرُّ عُمراً

هنالكَ عُمـرٌ يُختصَر في لحظة

هنالكَ أنت.. وهنالكَ أنا

هنالكَ دائماً مستحيلٌ ما

يُولَد مع كُلِّ حُبّ

باريس 1986

يا لحُسنك

مُفرطاً في الحُسنِ تمشي

أرضُك قلبي

كأنْ لا قلبَ لكْ

فتنةٌ بكَ تشي

كلُّ مَن صادفَ عينَيْكَ

هَلَكْ

يا لحُسنك

حرّضَ الحُزنَ عليّ

كمْ نساءٍ

فاتهنَّ غبارُ خيلِكْ

مِتنَ من قبل بُلوغِ شفتَيْك

كيف لي

أن أكونَ غِمداً لسيفكَ

هودجَ الوعدِ الذي قد يحمِلُكْ

فرساً لا غيرُها تصهَلُ في مَربطِ قلبِكْ

أنثى ريحِ الركبِ

أنّى وجهتُكْ

جامحُ الطلّة مُقبل

قلْ يا رجل

إلى أيِّ غيمةٍ تنتمي شفتاكْ

بأي أعاصيرَ تتوعّدُني يداكْ

صوب أيِّ وجهةٍ تمضي نواياكْ

كي أُسافِرَ في حقائبِ مطرِكِ

وأحطَّ

حيثُما تهطِلْ

بطاقاتُ معايدةٍ.. إليك

أغارُ من الأشياءِ التي

يصنعُ حضورُكَ عيدَها كلَّ يوم

لأنّها على بساطتِها

تملِكُ حقَّ مُقاربتِك

وعلى قرابتي بك

لا أملِكُ سوى حقِّ اشتياقِك

ما نفعُ عيدٍ

لا ينفضحُ فيه الحبُّ بكَ

أخافُ وِشايةَ فتنتِك

بجُبنِ أُنثى لن أُعايدَك

أُفضّل مكرَ الاحتفاءِ بأشيائِك

ساأكتفي بمعايدةِ مكتبِك..

مقعدِ سيارتِك

طاولةِ سُفرتِك

مناشفِ حمّامِك

شفرةِ حِلاقتِك

أريكةِ صالونِك

منفضةٍ تركتَ عليها رمادَ غليونِك

ربطةِ عنقٍ خلعتَها لتوّك

قميصٍ معلّقٍ على مشجبِ تردّدِك

صابونةٍ ما زالت عليها رغوةُ استحمامِك

فنجانٍ ارتشفْتَ منه قهوتَك الصباحيّة

جرائدَ مَثنيّةٍ صفحاتُها حسبَ اهتمامِك
حذاءٍ انتعلتَه يوماً لعشائِنا الأوّل

منكَ لا أتوقّعُ بطاقةً
مثلُكَ لا يكتبُ لي.. بل يكتبُني
ابعثْ لي إذن عباءتَك
ابعثْ لي صوتَك
خبثَ ابتسامتِك
مَكِيدةَ رائحتِك..
عساها عنكَ تنوب

انتهى العامُ مرّتَيْن
الثانية.. لأنّك لم تحضُرْ
نابَ عنكَ حزنٌ يُبالغُ في الفرح
غيابٌ يُزايدُ ضوءاً على الحاضرين

كلَّ نهايةِ سنةٍ

يعقِدُ الفرحُ قِرانَه على المطر

يختبرُني العيدُ بغيابِك

أما زلتُ حزناً أنهمر

كلّما لحظةَ ميلادِ السنة

تراشَقَ عشّاقُ العالم

بالوعودِ والقُبل؟

لا تهتمّ

لم يحدث أن تخلّفَت شفتاكَ عن مواعدتي

ما من عيدٍ إلّا وكنتَ هنا

واشتعل العام بقبلات لم نتبادلها...

بينما وحيدةً
أطارحُكَ البكاء

حين تكونُ لها

حيث أنت

على أريكةِ الحزنِ الفاخرة

يضعُ الحبُّ قدمَيْه

على المنضدةِ المنخفضةِ للبكاء

ويسألُك

عن امرأةٍ وهبتَها في السرّ نفسَك

ما زالت بصبرِ النساء

تسامرُ في الغيابِ صمتَك

متّكئةً على شرفةِ وعودِك

بينما وحيدةً أطارحُكَ البكاء

في بيتٍ مهيّأٍ لسواي

أزورُه وهماً كلَّ مساء

ثمّةَ امرأةٌ تضمُّها إليك

دونَ شعورٍ بالذنب

تعابثُها يدُك

يدُكَ التي... تحفظني عن ظهرِ حُبّ

قلبي الذي يراك

ويدُكَ التي لا تراني

كيف تسنّى لها أن تُغْدِقَ على أخرى

بتلكَ الشهقةِ التي سُرقَتْ منّي

شاهرةً في وجهِ قلبي شرعيّتَها

يدُكَ التي تهامِسُني «لا تغاري»

يحدثُ أن أصدّقَ أعذارَها

ثمّ تُباغِتُني الأحزان

عندما أرى سنابلَكَ لغيري

ولي شقائقُ النعمان

قطراتِ دمٍ تناثرَتْ

في حقولِ انتظاري

ما أحزنني

حين تكونُ لها وتضحَكِ

ضحكتَكَ تلك..

ضحكتَكَ التي لم تتعرَّ لامرأةٍ قبلي

قلبي الذي يسمعُك

وضحكتُك التي لا تسمعُني

حين تكونُ لها وتنظرُ
وحدي ألتقطُ ما ترى
أنصِتُ إلى ثرثرةِ عينَيْك
دونَ أن تنبِسا ببنتِ شفة
ألمِسُ حجمَ الحسرة
أعرفُ كم قطعَ العطرُ من مسافةٍ
قبل أن يحُطَّ على عنقِ الكلمات
كلماتِكَ التي تُخفيها عنها
في قارورةِ الذكرى

حين كلُّ شيءٍ يشهدُ أنّك لها
ووحدَكَ تدري أنّك لي
يحدثُ أن أحزنَ من أجلِها
لها اسمُك

ولي أسماءٌ كثيرةٌ في قلبك

ولي مواعيدُ وَلْهى... وذكريات

والذكرياتُ كما تدري

«جنّةٌ لا يستطيعُ أحدٌ طردَك منها!»

أرى النساءَ بعينَيْك

في حضرتك
تخلعُ الكلماتُ كنزتَها الصوفيّة
والنساءُ الجميلاتُ في أثوابهنّ الخفيفةِ
يعْبُرْنَ مأخوذاتٍ بضوءِ فتنتِك
فكأنّما ثمّةَ إهانةٌ
لنساءِ الأرض
أن تكونَ رجلاً وفيّاً
في مدنٍ طاعنةٍ في الخيانة

أنتَ الذي بدونِ قصدٍ
تُصبحُ أجملَ في تمنّعِك
ثمّةَ إغراءٌ

في أن تكونَ على هذا القدْرِ مِن الولاء
لِحُبٍّ مستحيلٍ إلى هذا الحدّ

وأنا التي
أعرفُ عنكَ ما لا تعرفُه النساء
أدري غرابةَ فتنةٍ
تبثّها في صمتِها رجولتُك
أرصُدُ عبرَ القارّاتِ ذبذباتِ رغبتِك
أخافُ على كلّ أنثى
مِن صواعقِكَ العشقيّة
أحجزُ الوقتَ سريراً لرائحتك

في غيابك
أرى الأشياءَ بعينَيْك
فأنا أغارُ عليك

مِن نساءٍ لم تلتقِ بهنّ بعد

مِن أشياءَ لم تحدُث لكَ بعد

مِن نظراتٍ

قد لا تتقاطعُ مع خيالاتِك

أغارُ

مِن عطرٍ قد يُشبهُ عطري

يتربّص بكَ في مصعدٍ

مِن امرأةٍ فيها شيءٌ منّي

تجلسُ جوارَك على مقعدٍ

مِن لقطةِ حُبّ

مِن مشهَدٍ

على قنواتِ الضجرِ الليليّة

قد يُغريك بغيري

تَصَوّر

أن أغارَ مِن أشـياءَ

قد لا تعبر ذهنك أبداً!

ضوءُ الرغبة الخافت

كنّا هناك.. من أجل عشاءٍ خفيف
لقلبَيْن يتبعانِ نظامَ حِمْيةٍ
بجمالِ زنبقةٍ مائيّةٍ كان الشوقُ يتفتّحُ بيننا
كما رسائلُ حبٍّ حذرة
تركنا خلفَنا سوابقَنا العشقيّة
وحاولنا أن نكونَ معاً لسهرة

كنت أمازحُ الحبَّ عندما أحببْتُك
فأنا ما كنت أدري
وأنا أجلِسُ بمحاذاةِ فضولِك
مأخوذةً بانهمارِ نظراتِك عليّ

أنّ الصمتَ مَكمَنُ كلِّ المخاطر

وأنّ الابتسامةَ اعتراضٌ صامتٌ

على ضوء الرغبةِ الخافت

اشتعلَ بنا الوقتُ

في رمادِ ليلٍ لم يكن يهيّئُنا للولع

تصوّر.. حتّى من قبلِ أن أعرفَ شيئاً عنك

كنتُ أخافُ أن تشرُدَ بغيري

في الفِناءِ الخلفيّ لقلبِك

لكنّك قلت:

«أكرهُ الفرحَ المُعلَن

لي معكِ سعادةٌ تَعِفُّ عن طرحِ
نفسِها للأنظار»

وإذا بي أقعُ في شَرَكِ تحفّظِك

في حضرتِك

خبرتُ ذلكَ الإغواءَ الآثِمَ للصمت

وبقيتُ في انتظارِ.. أن تحسِمَ شفتاك أمري

ولم تقلْ شيئاً يُذكر

كنتَ مشغولاً عنّي بجمع الحطب

كما لحريقٍ كبير.. كنتَ تُعِدّني لوليمةِ اللهب

وتدفعُ لموقدِكَ بأحطابِ عمري

لكنّ الوقت قد فات

شغفٌ يُضرمُ النارَ في تلابيبِ الكلمات

مشغولٌ أنتَ بإنقاذِ جلباب وَقارِك

تتمتم:

«مثلُ النار أنت

النارُ لا تحترق.. النار تلتهِم!»

أكنتَ تغار؟

كانت النارُ تقلّبُ لنا الأدوار

كان نيرون يحترق

وروما تبتسم!

شفتانِ على شَفا قُبلة

ركوةُ قبلتِك الصباحيّة

قهوةٌ لفمَيْن

أغرقُ فيها كقطعةِ سكّر

أرتشفُها بهالِ الشكر

حمداً لك

يا من وضعْتَ إعجازَكَ في شفتَيْن

وجعلتَهما حكراً عليّ

ما كنتُ لأحبَّهما إلى هذا الحدّ

شفتاك اللتانِ نضجتا

بصبرِ حبّاتِ مسبحة

تسلّقتا شَغافَ القلب

عناقيدَ تسابيحَ وحمدٍ

يا للهفتِك

يا لجوعي إليكَ بعدَ فِراق

ساعةٌ رمليّة

تتسرّبُ منها في قبلةٍ واحدة

كلُّ كثبانِ الاشتياق

كيف لي أن أصفَ مُتعةً

ذِروتُها أن أفقدَ لغتي؟

كلّما تقدّمَ بنا الحبُّ نشوةً

أعلنَ العشقُ موتَ التعبير

شفتانِ تبقيانِكَ على شفا قبلة

لا شفاعة

لا شفاءَ لمن لثَمَتا

لا مهرَب

لا وُجهةَ عداهما أو قِبلة

مجرّدُ شفتَيْن على قدَرِك أطبقتا

يا رجلاً

مَن غيرُكَ

سقط شهيداً

مضرّجاً بالقبل!

لا زيتَ في مصباحِ انتظاري

أشفقُ على نساءٍ لم يلتقِينَ بك
لم يتعلّمْنَ جغرافيةَ الحبّ على يدِك
لم يجلسْنَ أمامَك
على كراسيّ القبلةِ الأولى
وسيمُتْنَ بذلك المِقدارِ من الأمّيّة

أريدُ أن أشارِكَهنّ طفرتي العاطفيّة
كيف يمكنُني استنساخُك
كي في عيدِ العشاق
أهديَ منكَ نُسخةً لكلّ امرأة

مفتونةً بسخاءِ سُمرتِك

من أينَ لرغباتي هذا اللون

أيّها المورقُ كشجرةِ زيتون

لا زيتَ في مصباحِ انتظاري

كلُّ هذا الليلِ لي

حبّةً.. حبّةً أقطِفُ ثمارَك

أطبقُ شفتيّ على مذاقِكَ البرّيّ

كراقص فلامنكو

بذلك الشغفِ اللامتناهي

بذاك التباهي

بحُمّى يدَيْك حين تصفّقان

لإضرامِ النارِ في ثوبِ امرأة

بصخَبِ العواطفِ لحظةَ اشتهاء

دُقَّ على أرضِ ترقّبي
كي تنتفضَ داخلي
قبائلُ النساء

يا كلَّ رجالي..
يا أنا
كم على إيقاعِ دُوارِك
رقصَتْ أثوابُ اشتعالي
ذاتُ الذيولِ الملوّنة
وانكسرَت بمرورِ شفتَيْك
كلُّ أقفالي

حان لهذا القلب
أن ينسحب

أخذنا موعداً

في حيٍّ نتعرّفُ إليه لأوّلِ مرّة

جلسنا على طاولةٍ مستديرة

لأولِ مرّة

ألقينا نظرةً على قائمةِ الأطباق

ودون أن نُلقيَ نظرةً أحدُنا على الآخَر

طلبنا بدلَ الشاي شيئاً من النسيان

وكطبقٍ أساسيٍّ كثيراً من الكذب

وضعْنا قليلاً من الثلجِ في كأسِ حُبّنا
وكثيراً من التهذيب في كلماتِنا
وضعْنا جنونَنا في جيوبِنا
وشوقَنا في حقيبةِ يدِنا
لبسْنا البدلةَ التي لا ذكرى لها
وعلّقنا الماضيَ مع معطفِنا
فمرَّ الحبُّ بمحاذاتنا
دون أن يتعرّفَ إلينا

تحدّثنا في أشياءَ وأخرى
تناقشْنا في السياسةِ والأدب
في الحرّيةِ والدين.. وفي الأنظمة العربيّة
اختلفنا في أُمورٍ تعنينا
ثمّ اتّفقنا على أمورٍ لا تعنينا

فهل كان مهمّاً أن نتّفقَ على كلِّ شيء
نحنُ اللذَيْن لم نختلفْ قبلَ اليوم في شيء
يومَ كان الحبُّ قضيّتَنا الوحيدة؟

اختلفْنا بتطرُّف
لنُثبتَ أنّنا لم نعدْ نُسخةً طبقَ الأصل
تناقشْنا بصوتٍ عالٍ
حتّى نُغطِّيَ على صمتِ قلبينا
اللذينِ عوّدناهما على الهَمْس
نظرنا إلى ساعتنا كثيراً
نسينا أنْ نلتفتَ إلى ماضينا قليلاً

اعتذرْنا
لأنّنا أخذنا من وقتِ بعضِنا القليل
ثمَّ عُدنا وجاملْنا بعضُنا بعضاً

بوقت إضافيٍّ للكذب

لم نعدْ واحداً.. صِرْنا اثنَيْن

على طرفِ طاولةٍ مستديرةٍ كنّا مُتقابلَيْن

عندما استفاقَ الجرح

أصبحنا نتجنّبُ الطاولاتِ المستطيلة

تسرُدُ عليّ همومَكَ الواحدَ تلوَ الآخر

أفهمُ أنّني ما عدتُ همَّك الأوّل

أُحدّثُك عن مشاريعي

تُدركُ أنّك غادرْتَ مُفكّرتي

تقولُ إنّك ذهبتَ إلى ذلك المطعمِ الذي..

لا أسألُكَ مع مَن

أقول إنّني سأُسافرُ قريباً

لا تسألني إلى أين

فليكن..

كان الحبُّ غائباً عن عشائنا الأخير

نابَ عنه الكذب

تحوّلَ إلى نادلٍ يُلبّي طلباتِنا على عَجَل

كي نُغادرَ المكانَ بأقلِّ ضرر

في ذلك المساء

كانت وجبةُ الحبّ باردةً مثلَ حسائِنا

مالحةً كمَذاقِ دموعِنا

والذكرى كانت مشروباً مُحرّماً

نرتشفُهُ بين الحينِ والآخرِ سهواً

عندما تُرفعُ طاولةُ الحبّ

كم يبدو الجلوسُ أمامها سخيفاً

وكم يبدو العشّاقُ أغبياء

فلِمَ البقاء

كثيرٌ علينا كلُّ هذا الكَذب

ارفعْ طاولتَك أيّها الحبّ

حانَ لهذا القلب أن ينسحب

في أعرافك
لا يعتذرُ الرجال

أحتفظُ بالرسائلِ الهاتفيّةِ التي

لم يُسعفْك الفراقُ لكتابتها

بتذاكرَ قطعْناها

في وكالةِ سفرٍ

لوجهاتٍ صيفيّة

لم نقصِدْها

أحتفظُ بقطعٍ نقديّة

كنّا سنرميها في بِركةِ روما

كي نعودَ إليها معاً

بقُفلٍ مغلقٍ على وعدِنا

بنيّةِ إلقائِه من جسر بونتي ميلينيو
مع أقفالِ العشّاق
الملقاةِ في عمقِ النهر
حيث لا يستطيعُ أحدٌ انتشالَها

أحتفظُ بصورةٍ التقطتها لك
في صيفٍ لم نلتقِ فيه
وأنت ترتدي بذلةً
كنتُ سأهديها لك
فما كانت تليقُ برجلٍ سواك

أحتفظُ بكلماتٍ لم تقلها
في موعدٍ لم يكن
ذاتَ عشاءٍ في المطعمِ نفسِه
الذي كانت صاحبتُه الفرنسيّة

تُعاملنا كزوجين

السيّدةُ السخيّةُ الابتسام

المتواطئةُ معَ كذب العشّاق

أحتفظُ بلائحة الطعام

وما تناولناهُ قبل يومَيْنِ من الآن

في مطعمٍ ما ارتدْناهُ منذ عام..

حتّى بتفاصيلِ ما طلبتَ من أطباق

في عشاءٍ أخلفناه

وكلِّ ما كنتَ تتناولُه

وأنت تلقّمُني طبقَ الفراق

أحتفظُ

بما واصلَ الهاتفُ قولَه

بعدَ أشهرٍ من صمتِك

بعنادِ رجولتِك

بما أخفيتَ من دمعِك

لاحتمالِ ظلمِك لي

أحتفظُ

بوجَع أنَفَتِك

بأسئلةِ غَيْرتك

بشكوكِك.. بنوباتِ غضبك

بقسمي.. بألمي..

بنومي على عتَباتِ قلبك

عساك تصدّقُني

أحتفظُ بمرارةِ كبريائِك

بقهْرِ حسرتِك

بندمٍ يواصلُ الفتكَ بك

بسببِ كلمةٍ تأبى أن تقولَها

أحتفظُ بدموعِ اللحظات

التي لم نعِشْها

بحدادِ الأماكن

بتنهّداتِ المطارات

أحتفظُ بحقيبةٍ أهديتَها لي

مشابهةٍ تماماً لحقيبتِك

جاهزةٍ كما كانت

لرحلةٍ أخلفنا طائرتَها إلى الأبد

أحتفظُ بذاكرةِ ما لم يحدث

بتفاصيلِ ما لن يكون

بالهدرِ الموجعِ للجمال

أحتفظُ بكلِّ ما ارتضيتَ أن تخسرَه

كي تحتفظَ بكلمة

ففي أعرافِكَ لا يعتذرُ الرجال

تشي بك شفاهُ الأشياء

قلتُ مرةً: «أحلمُ أن أفتحَ بابَ بيتِكَ معك»

أجبتَ: «وأحلمُ أن أفتحَ بيتي فألقاكِ»

من يومِها

وأنا أفكّرُ في طريقةٍ أرشو بها بوّابَك

كي ينساني مرّةً عندك

أن أنتحلَ صفةً

تجيزُ لي في غيبتِك دخولَ أدغالِك الرجاليّة،

فأنا أحبّ أن أحتلَّ بيتَكَ
بذريعةِ الأشغالِ المنزليّة

أن أنفضَ سجّادَ غرفةِ نومِكَ من غبار النساء

أن أبحثَ خلفَ عنكبوتِ الذكرَيات

عن أسرارِكَ القديمةِ المخبّأةِ في الزوايا.

أن أتفقّدَ حالةَ أريكتِك، في شبهةِ
جلستِها المريحة

أن أمسحَ الغبارَ عن تحفِكَ التذكاريّة،

عسى على رفّ المصادفة، تفضحُكَ
شفاهُ الأشياء

أريدُ أن أكونَ ليومٍ شغّالتَك

لأعقّمَ أدواتِ جرائمِكَ العشقيّة

وأذيبَ برّادَك من دموعي المجلّدة

مكعّباتِ ثلجٍ لسهَراتِك

أن أستجوبَ أحذيتَكَ الفاخرةَ

المحفوظةَ في أكياسِها القطنيّة

عمّا علقَ بنعالِها من خطى خطاياك

أن أخفيَها عنك، كي أمنعَك من السفر..

في غيبتِك

أحبّ أن أختليَ بعالمك

أن أتفرّجَ على بدلاتِ خلافاتِنا
المعلّقةِ في خزانتِك

وقمصانِ مواعيدِنا المطويّةِ بأيدٍ غريبة

أحبّ.. التجسّسَ على جواريرِك

على جواربِك.. وأحزمتِك الجلديّة

وربطاتِ عنقِك.. وثيابك الداخليّة

على مناشِفك وأدواتِ حِلاقتِك

وأشيائِك الفائقةِ الترتيب.. كأكاذيبَ نسائيّة

تروقُني وشايةُ أشيائك

مطالعاتُكَ الفلسفيّة

وكتبٌ عن تاريخِ المعتقلات العربيّة

وأخرى في القانون

فقبلَكَ كنتُ أجهلُ أنّ بإمكانِ نيرون

أن يحترفَ العدالة

كنت أتجسّسُ على مغطسِ حمّامِك

على مكرِ الماركات الكثيرةِ لعطورك

وأتساءلُ أعاجزٌ أنت حتّى عن الوفاءِ لعطر؟

كم يُسعدُني استغفالُ أشيائِك..

ارتداءُ عباءتِك..

انتعالُ خفّيْك..

الجلوسُ على مقعدِكَ الشاغرِ منك

آه لو استطعتُ لبسَطتُ أشيائي في بيتك..

وبعثرتُ أوراقي على مكتبك

في انتظارِ أن تفتحَ الباب

فيشهقُ قلبُك بي حين يراني!

أن أحتسيَ قهوتي في فناجينِك..

على موسيقاك الصباحيّة

أن أسهرَ برفقةِ برنامَجِك السياسيّ

ذلك الذي تتناتفُ فيه الديَكة..

ثمّ أغفُوَ منهكةً

على شراشِفِ نومِك..

دع لي بيتَكَ وامضِ.. ما حاجتي إليك

إنّي أتطابقُ معك بحواسِّ الغياب

لو باقي ليلة بعمري*

مختلفَين كُناّ وجميلَين معاً

كنتَ ثريّاً بقصصِ حبٍّ مُفلسة

ومفلسةً أنا.. أكتشفُ بحزنك ثرائي

باذخُ الحزنِ ليلُك.. حدَّ احتياجِك للبكاء

وسعيدةً كنتُ أنا

بسطوةِ كلماتي عليك

وبأغنيةٍ وضعتْنا ذاتَ مساء

على مرمى قدَر

كيف أُولي الحبّ ظهري

* كتبت هذه القصيدة سنة 1995 تماهياً مع أغنية «ليلة» كلمات الشاعر الأمير بدر بن عبد المحسن وألحان عبد الرب إدريس.

وأنا..

«لو باقي ليلة بعمري

أبيه الِليلة واسهر

في ليل عيونك.. وهي ليلة عمُر»

في حضرة حبٍّ لتوّهِ حضر

«أحلم.. أحلم بكْ دائم جنبي

وأنا صاحي ونايم يا اللّي

أيامي بدونك ما هي من العمُر»

عندما لليلةْ

تجمعُنا شواطئُ طاعنةٌ في الحبّ

وينسانا حرّاسُ المدينة

كيف لي أن أضعَ

في ساعةِ الوقتِ الرمليّةْ

كلَّ صحاري اشتياقي لك

حين كبرياؤُكِ تُوَشوِشُني:

«أحبّك

لم تكوني امرأةً لضجري

فلا تصنعي منّي قواربَ حبٍّ ورقيّة»

في بلاطِ حُبّك

يسألُك حِبري:

أيُّ مجدٍ للغةٍ لم تصِفْكَ؟

«صوتك.. همسك.. بيتي وسفري

قمري وشمسك.. ليلي وفجري»

أتدري؟

مُذ جئتَ

أرى الحبَّ أينما أنتَ

«وانتَ..

يا عيوني أنت قلبي

أنا وين ما كنتْ يا اللي

سواد عيونك أفديه العمُر»

أُجيل النظر

في حبٍّ له قامتُك

آتيك من لغةٍ لم تسلُكْها قبلي امرأة

مشتعلةً بانتظاري لك

لليلةٍ كهذه

ادّخرتُ كلَّ أرَقِ الأمنيات

يا الله لي عندكَ طلب

أن توصدَ نوافذَ العالمِ دوننا

وتبقينا لليلةْ

أخافُ مكرَ المطر

ومواسمَ ستجيءُ ولن نكونَ معاً

فأطِلْ هذا الليلَ قليلاً

يا الله.. يا الله.. كم حبُّكَ يجعلني جميلةْ

وكم هذا القلب تعِب

«يا الله.. يا الله إش كتر أنا.. أنا أحب

ليلة..

لو باقي ليلة بعمري

أبيه الليلة واسهر

في ليل عيونك.. وهي ليلة عمُر»

أكبرُ الخياناتِ النسيان

صبرْتُ عليك وأدري

كان رهانُك كسري

من قهري

قاطعْتُ حنينَ الوقت إليك

ارتشافي صباحاً لصوتك

ارتطامُ أشواقي بموجك

من فرْطِ سُهادي بك

ما خُنتُك

لكنّي رُحت أخونُ الزمانَ بعدَك

أعصي عادةَ العيشِ بإذنك

أنسى انتظاري لك

فرحتي حين يهِلُّ رقمُك

ازدحامُ هاتفي بك

كم أخلصْتُ لغيابك

لكنّها ذاكرتي خانتْني

تصوّر

ما عدتُ أذكرُ عمرَ صمتِك

ولا متى آخر مرّةٍ قابلتُك

وكم من الوقت مرّ من دونك

فكيف قل لي أنتظرُك

وأنا ما عدتُ أعرفُ وقْعَ خطاك

مذ افترقْنا

ما عادَ الأمرُ يعنيني

سِيّانِ عندي إن غدرْتَ أو وفَيْت

يكفيني يا سيّدَ الحرائق

أنّك خُنتَ اللهفة

وأطفأتَ جمرَ الدقائق

ما خُنتُك.. لكنْ خانَك حبري

مذ قرّرتُ ألا أكتبَك

لن تدري

كم اغتلْتُ من قصائدَ في غيابك

حتّى لا تزهوَ بحزني

حين تفضحُني الكلمات

ما خُنتُك..

فقط نسيتُ أن أعيشَ بتوقيتك

ما عدتُ أذكر

كم من المطارات حطّ قلبي بها
دون علمِك

والله ما خُنتُك
ولا ظننتُ قلبي
سيقوى على الحياةِ بعدك
لكنّه الخِذلان
علّمني أن أستغنيَ عنك
أصبحتُ فقط
أنسى أن أسهرَك
أأبى أن أذرِفَك
أكثر انشغالاً من أن أذكرَك
وأكبرُ الخيانات.. النسيان!

ثمّ ماذا لو تحدّثنا قليلاً

قلتِ مرّة..

خبّئي وعداً بجيبِ الليل

أحلى الصبحِ رِيبة

وتعالَيْ

كلُّ هذا الحزنِ شبّاكي

فلا خوفَ إذا جئتِ بخيبة

قرّبي وجهَكِ منّي

قرّبيني منكِ أكثر

كلُّ شيءٍ عندما أجمعُ أحزاني

على كفّيْكِ يصغُر

فدعيني أرقُد الليلةَ في عينَيك
إنّ الحزنَ مُقبلٌ

ثمّ ماذا.. لو تحدّثنا قليلاً*
مغلَقاً عمري كان
متعَباً وجهُك كان
والتقينا ذاتَ ليلة

كلُّ شيءٍ ممكناً كان..
غامضاً كنتَ كمشروعِ قدَر
مُدهشاً..
فيكَ مزيجٌ من أمير أمويّ

* من أولى القصائد التي كتبتُها، اشتهر منها هذا المقطع لأنّه كان الشارة المييّزة لبرنامج «همسات» الشعري الذي لاقى شهرة كبيرة والذي كنت أقدّمه كلّ مساء بين عامي 1973 و1975 على الإذاعة الوطنية الجزائرية.

واشتعالِ عاشقٍ يرقصُ حولَ النار
في ليلِ الغجر

مُفْرِطاً في الزهْوِ كنت
وبخيلاً ذلك الموعدُ كان

كان أجملَ..
لو تركْنا هامشاً للصمت
كي نُبقيَ على الحلمِ قليلاً
لو فقط قلتَ «أحبُّك»
لو أنا
قرّرتُ أن أصمُتَ كي أبقى جميلة
غيرَ أنّا..
بين قوسَينِ من الحلم.. ورعشة

قد تحدّثنا كثيراً

وكسرنا في ارتباكٍ كلَّ دهشة

كلُّ شيءٍ ممكناً كان

أتدري

كنت أرتاحُ لعينَيْك كثيراً

كنت لا أملكُ للحلمِ سوى عينَيْك

مشواراً قصيراً

كنتَ مشروعَ قصيدةٍ

قبلةٍ مسروقةٍ في نصفِ نظرة

غير أنّا

قد تحدّثنا عن الحبّ.. عن بوشكين..
عن لوركا

عن الحُكم.. عن المُلك

وعن أشياءَ أخرى

واختلفْنا

فكلانا في الهوى

ينتمي كانَ إلى غيرِ قبيلة

كان أهوَنَ

لو صمتْنا مثلَ كلِّ الغرباء

أو رقصْنا تحتَ نورٍ خافتٍ أيَّ رقصة

فلماذا قد تحدّثنا كثيراً؟

يا لحمقِ الكلمات

عندما تشعلُ في العتمةِ كلَّ الضوء فينا

وإذا بالحلم يُغتال بغصّة

ثمّ ماذا..

كلُّ شيءٍ ممكناً كان.. ولكن
قد تذكّرتُ صديقاً شاعراً
ماتَ ولم يحكِ كثيراً
أنت لا تعرفُ اسمَه
وتذكّرْتُ المطاراتِ وتفتيشَ الحقائب
عندما يصبحُ حتّى الورقُ المكتوبُ تُهمة
وتذكّرْتُ رفاقي الطيّبين
وعيونَ المخبرين
وتذكّرْتُ أنّي امرأة
ما احترفتْ في عُمرِها البهجةَ لكنْ
لم يكن حزني كما حزنُك.. تخمة

ثمّ ماذا..

عبثاً في ظلّ عينَيْك أسافر

عبثاً تبحثُ عن نقطةِ ضَعفي

لم يعدْ صوتُك يُغريني.. ولا يُبعدُ خوفي

ثمّ ماذا..

كم هو صعبٌ أن تفهمَ هذا..

الجزائر 1973

اسم كأنّه لك

برقُ اسمكَ
حين يلفِظُه أحدٌ فتضيءُ حواسّي
كشجرة العيد
مَن قطعَ الضوءَ عن أحرفِه
تلك المعلّقةِ على شرايينِ القلب
كأنوارٍ صغيرة
على خيطِ الفرح؟

حتّى عندما لم يكن أحدُهم يناديك
كلُّ مَن لفظ اسمَك
كان يعنيك
هكذا كانَ قلبي يظنّ

وبعضُ الظنون إثمٌ

وبعضُها وهمٌ

وأخرى ألمْ

مع الوقت، ما عدت أهتمّ

ولا أسمعُ اسمَك

حين يُنادى على سواك

هم ما زالوا ينادون

على اسمٍ كأنّه لك

لكنّ قلبي أصيبَ بالصمَم

حين نسيَ لساني

منذ متى لم ينادِ عليك

رمادُ اسمكَ
المتساقطةِ أحرفُهُ كالنيازك
من كوكبٍ اشتعلَ في أزمنةٍ غابرة
يتركُني حائرة
كلّما لفظتُه نالَ من شفتَيّ
وحرّضَ ذاكرةَ الأبجديّة عليّ

كيف في مجرّات الحبّ
تنطفئُ أسماءُ من أحببنا؟
تختفي كواكبُهم
خلفَ غيوم القلب
فتمطرُ روحُنا
تبكي عتْمتُنا
بعدَهم

ما قال لنا أحدٌ

ونحن ننهمر

أنّ في السماء نجماً ينتظر

يحملُ اسماً لا ندري به بعد

كُتبَ علينا أن نعشقَه

وأن يشتعلَ بأحرفِهِ مجدّداً قدَرُنا

أيّها النسيانُ هبْني قبلتَك

أيّها النسيانُ

أعطِني يدَك

كي أسيرَ في مدنِ الذكرى معك

نَضَجَ الفراق

على شفتيَّ أزهرت قُبُلُ الوداع

لك قطافي

يا نسيانُ هبْني قُبلتَك

يا واهبَ السَّلْوان

قلبي من ذكراهُ عارٍ

معطفي أنت

في عزّ افتقاري

يا سيِّدَ الإياب

افترقَ الأحباب

مُواربُ الأبواب قلبي

كلَّ فراقٍ وأنت انتظاري

نسياني.. يا نسياني

امرأةٌ تشبهني يوماً بكت

من رجلٍ كم يشبهُك

ها هي ذي اليومَ سَلَتْ

هو هناك.. وهي هنا تراقصُك

يا قدري.. يا أملي

يا رجلي من دونِ الرجالِ

راقِصْني.. خاصِرْني.. طيّرْني..

اهمِسْ لي «ما أجملَكِ»

بِكَ أحتفي

لك أفِي

ما دُمتَ لي.. ما دُمتُ لك

لن أرتديَ حدادَ الحبّ

كنتَ سيّدَهم وغدوْتَ أحدَهم

يومَ كنتَ سيّدَهم

كانوا يتساءلون: مَن سلبَ عقلي؟

وأوقعَ في شرَكِهِ أشعاري؟

ويومَ غدوْتَ أحدَهم

أصبحتَ تتساءل

مَن أطاحَ عرشَك؟

لمن تتبرّجُ دفاتري؟

ولمن أهدي انتظاري؟

يومَ كنتَ حبيبي

كنتُ أتستّرُ على حروفِ اسمِك

أموّهُ الطريقَ إلى أبجديّتك

فقد كنتَ كلمةَ سرٍّ حاسوبي

وشيفرةَ صندوقِ مَصاغي

يوم كنتَ سيّدَهم

ما كان لك اسمٌ بين الناسِ إلّا «سيّدي»

وما كان للآخرين تسميةٌ إلّا «هم»

فكيف رحتَ

تصغُرُ كلّما اقتربْتَ منهم

حتّى صِرْتَ أحدَهم

غدوتَ أحدَهم

لا غدَ لك في مفكّرتي

ولا ماضيَ أستعيدُه بحسرة

عارٍ رأسُك من تِيجانِ غاري

مذ قلبي الذي توَّجَك على الرجال مَلِكاً

ما عادَ يغارُ عليك

أصبحتَ أحدَهم

يومَ ماتَ فضولي لمعرفةِ أخبارِك

وانطفأ خوفي عليك

بعدما كنتُ أخافُ على كلّ ما فيك

أصبحتَ أحدَهم..

عندما ما استطعتُ إنقاذَك

من لامبالاتي أمامَ موتك

أدري سبق أن متَّ أكثرَ من مرّة

لكنّك اليومَ تموتُ آخرَ مرّة

لفرْطِ ما متَّ

لا أحدَ عزّاني فيك

ولا مَن دلّني أينَ أواريك

كي لا أنفضِحَ بجثمانِك

كنتَ سيّدَهم لأنّني يومَ أحببتُك

ضخّمْتُ عيوبَهم وصغّرْتُ مَساوئَك

غفرْتُ خطاياك وترصّدْتُ أخطاءَهم

حجّمْتُ كلَّ رجلٍ

لتكونَ سيّداً على الرجال

لكنّك رحتَ تحجّمُني

لتكونَ سيّداً عليّ

كنتُ أغيّرُ فصيلةَ دمي

لتطابقَ دمَك

وتغيّرُ أنتَ أقفالَ قلبِك

لتُطْبِقَ الأقدارُ عليّ

كنتَ تسمّي ذلك حبّاً

وكنتُ أصدّقُك

يوم كنتَ سيّدَهم

لم يحدثْ أن لفظْتُ اسمَك في جلسة

كنتُ في حضرتِهِم أتنفّسُ أحرفَك خِلسةً

البارحةَ لأوّل مرة

لفظتُ اسمَك بين أسماءٍ أخرى

ما ذكرْتُ سوى محاسنِك

كما نذكرُ خِصالَ الراحلين

البارحة.. أصبحَ لك اسمٌ

لفظتُه كما يلفِظُ البحرُ جثّة

يرفعني هودجُ الأحرف

ما حمَيتُ منك ظهري

فما كان من شيمِكَ الطعنُ من الخلف

كلُّ زهوِك كان في السير أمامي

وكنتُ عشقاً أسعَدُ أن تسبِقَني

لكن.. وأنا أراك تبتعد

تنبّهتُ

أنّك تركتَ على طريقي

كلَّ كمائنِ الخوف

كي تطعنَ خطايَ إلى المجد

أخطأتَ سيّدي في تقديرِ طعنتِك

فأنا لا أستندُ إلى قدميّ حين أقف

بل يرفعُني هودجُ الأحرف

محضر استجواب عاطفي

حين تغضبُ

تعلّقُ ضحكتَك على المشجب

تتركُ للهاتفِ مكرَ صمتك..

وتنسحب

تغتالُني في غيابك أسئلتي

أبحثُ في جيوب معطفِك

عن مفاتيحِ لوعتي

أوَدُّ أن أعرفَ.. أتفكِّرُ فيِّ؟

أيحدُث ولو لغفوةٍ

أن تطمئنَّ عليّ أحلامُك؟

أن تبكيَني ليلاً وسادتُك؟

حين.. أمامَ حماقاتي الصغيرة

تفقدُ كلماتُكَ أناقتَها

ويخلعُ وجهُكَ ضحكتَه

لا أدري عن أيّ ذنبٍ أعتذر

وكيف في جملٍ قصيرةٍ

أرتّبُ حقائبَ الكذب

أمامَ رجلٍ لا يتعب

من شمشمةِ الكلمات

على صهوة غَيْرتِك تأتي

بثقةِ غجريٍّ

اعتادَ سرقةَ الخيول

أراكَ تسرِقُ فرحتي
تطفئُ أعقابَ سجائرِك
على جسدِ الأمنيات
تحرقُ خلفَك كلَّ الحقول
وتمضي
تاركاً بيننا جثّةَ الصمت

حين يستجوبُني حبُّك
على كرسيّ الشكوك
عنوةً يطالبُني بالمثول
يأخذ منّي اعترافاً بجرائمَ
لم أرتكبْها
كمحقّقٍ لا يثق بما أقول..
يفتّشُ في حقيبةِ قلبي عن رجلٍ
يقلّبُ دفاترَ هواتفي..

يتجسّسُ على صمتي بين الجُمل

ماذا أفعل؟

أنا التي أعرفُ تاريخَ إرهابك العاطفيّ

أأهرب

أم أنتظر؟

مَذْعُورةً كسنْجابة

أقفزُ بين أشجارك

لا أدري في أيِّ فَجْوةٍ

أُخفي كستناءَ فرحتي

كلَّما قلتَ: «لا سواكِ امرأتي»

لكنْ في كلِّ فَجوةِ شجرة

أعثرُ على جثّةِ امرأة

سَبَقتْني إليكَ

أنت الذي بمنتهى الإجرام..

منتهى الأدب

تغيّرُ أرقامَ قلبك

إثرَ انقطاعِ هاتفي

كما تغيّرُ الزواحفُ جلودَها

كما تغيّرُ امرأةٌ جواربَها

عسى تُجنَّ امرأةٌ بك.. أو تنتحر

منذ الأزل

تموتُ النساءُ عند باب قلبك

في ظروفٍ غامضة

فبجثثِهنّ تختبرُ فحولتَك

وبها تسدّدُ أحزانَك الباهظة

لا شيءَ كان يوحي
يومَها بأنّك ستأتي

لا شيءَ كان يوحي يومَها بأنّك ستأتي

أنت القادم بتوقيتِ هزّةٍ أرضيّة

كيف لم تتنبّأ بقدومِك الأرصادُ الجويّة

ولا أسعفتْني في التهيّؤ لك

خبرتي العريقة

في توجّسِ الكوارثِ العشقيّة

لا شيءَ كان يوحي يومَها بأنّك ستأتي

مباغتاً جاءَ حبُّك كزلزلة

صاعقاً.. كغَفْلة

فاضحاً كحالةٍ ضوئيّة

مذهلاً، متألّقاً، ممتعاً، موجعاً

مدهشاً كما البدايات

متأخّراً.. متأخّراً كما الذوات

أنت الذي من فرْطِ ما تأخّرْت

كأنّك لم تأتِ

لمَ جئتَني إن كنتَ ستعبُرُني كإعصارٍ وترحل؟

أكثرَ من حبِّكَ أحبُّها

عاصفةَ حبِّك التي تمرُّ بي على عَجَل

وتخلّفُ داخلي كلَّ هذه الفوضى

أكثرَ من حبِّك

أحبُّ اشتعالي المفاجئَ بك

أكثرَ من انبهارِكِ بي

أحبُّ اندهاشَ الحبِّ بنا

في ليلةٍ، لا شيءَ فيها كان يوحي أنّنا

سنلتقي

وأذكرُ تلك الليلة

ذهبْنا حيثُ خِلْنا الصبرَ يذهبُ بنا

إلى طاولةٍ ساهرةٍ في مقهى

بعدَما قرّرْنا أن نواجهَ جالسَيْن

زلزالَ الحبِّ المباغت

أذكرُ.. على ضوءٍ خافت

كنّا نبدّدُ الوقتَ ليلاً بارتشافِ قهوة

خوفَ إيذاءِ الفراشاتِ الليليّة

وهي تقتربُ أكثرَ من قِنديلِ الشهوة

دونَ توقّف

كنا نحتسي كلماتٍ لا تنتهي
عن حبٍّ لم يبدأ
نذيبُ في فناجينِ البوحِ.. سكَّرَ الرغبة

ذلك المساءَ
لم نختَرْ أن نكونَ أوفياء
وثمّةَ أشياءُ
لا اسمَ لها اختارَتْنا
ومدينةٌ لم تكن لنا وكنّا لها لليلة
حاصرَتْنا بذاكرة الأمكنة
وبذُعرِ الوقتِ الهارب بنا
وبحمّى اللحظاتِ المسروقة

ذلك المساء

قلَبنا منطقَ الأشياء

لم ندّعِ الوفاء

لكن..

مرَرْنا دونَ قصدٍ بمحاذاةِ الخيانة

كم سعدنا يومَها وكم الحبُّ اشتهانا

يومَها..

أكثرَ ممّا قلت لي

أحببْتُ بوحَكَ المواربَ الوجِل

وذلك التعاقبَ الشهيَّ

لكلامٍ بينَنا لم يُقَلْ

وفوضى الحواسّ بين صوتِكَ.. وصمتِك

ليلتَها

أكثرَ ممّا فعلَه بي حبُّك

كان حبّي

لحقائبَ كانت جاهزةً قبلك

وطائرةٍ تتربّصُ بي

لتأخذَني صباحاً هناك

حيث يُمكِنُني أن أقاصصَك

بارتداداتِ الغياب

أنت الذي ذاتَ زلزالٍ عاقبْتَني بمجيئك

في ذلك اليوم الذي..

لا شيءَ فيه كانَ يوحي أنّك ستأتي

وكلُّ شيءٍ كانَ يجزمُ أنّني سأرحل

سيّد العنفوان الآسر

أذكرُ في صِبا الأمنياتِ
تمنّيتُكَ
ورَفيقاتي اشتهينَ طلّتَك تلكَ
وتزوّجنَكَ سرّاً
وأنجبنَ منكَ أولاداً لم ترهُم
لهُم عيناكَ
وجيناتُ غضبكَ
وشعاراتُكَ.. وقضاياك
وذاكَ العنفوانُ الآسر

ثمّ يومَ كبرتُ وفهمتُ العالم

وكبرتَ أنتَ.. وتغيّرتَ

أقسمتُ بأولادي المُجْهَضينَ منكَ

وبخيبتي فيك

ألّا أراك

لكأنّي ما عاديتُكَ

إلّا كي يصنَع سؤالُك عيدي

حين بعدَ عمرٍ تقول:

«أَعيدي..

هذا العمرَ قليلاً إلى الخلف»

فتتنهّدُ السنوات.. ينطفئُ غَيظي

ويعود إلى غمدِهِ السيف

لكأنّي أحبّك

أو أحبُّ فيكَ

فائضَ الحزنِ المتاح

لرجلٍ يملكُ كلَّ شيء

كلّ شيءٍ تقريباً

ولا تملِكهُ الأشياء

يتخلّى عنها قبل أن تُشيِّئَه بقليل

يَهبُها للآخرين

كي لا يكونَ مَلكاً سوى على حصانِه

وعلى امرأةٍ من دونِ النساء

يُودِعُها بعدَ كلّ حرب

عرَقَ خساراتِه

لكأنّي أردتكَ تماماً كما كنتَ

كشيءٍ لم يحدث

كقُبلةٍ لم تكُنْ

كموعدٍ أخلفتُه

كحلمٍ ينتظر

ككتابٍ قد يُكتَب

ككاتبةٍ لن تكتبَ..

كم أحبَّتكَ!

يا آخرَ سادةِ الحبّ

لا تعتَبْ

من دونِ أن أنساك

بعدَك التهَمَ العشقُ جناحيَّ

وخُنتُ انتظارَك

ليس لي ما أُهديه لكَ عدا ذاكرةِ اللّهب
فأشعِلْ بقصصِ حُبّي أحطابَ نارِك
ولا تُشهِدْ على رمادي سواكَ!

الجزائر 1973 – بيروت 2014

الفهرس